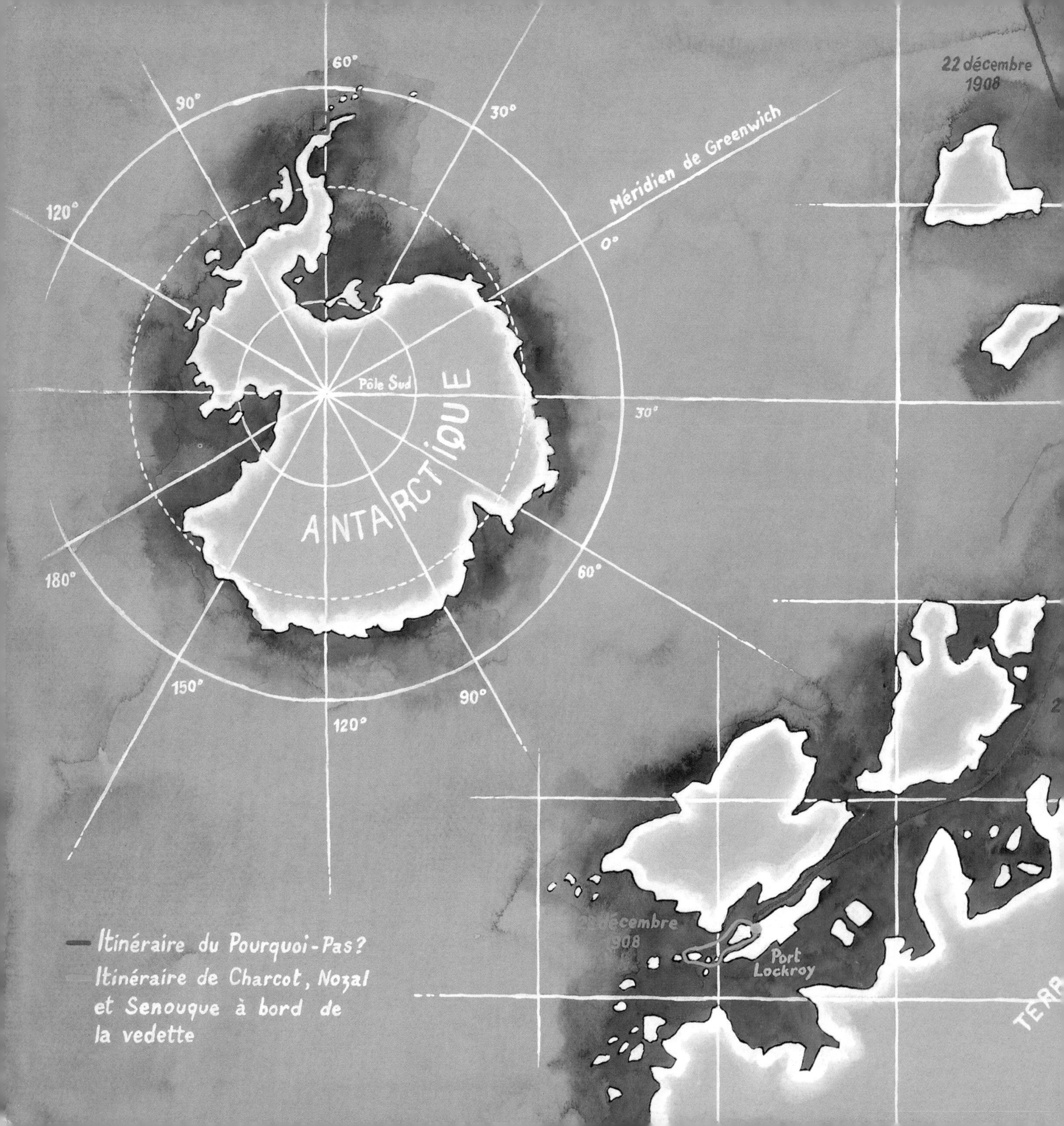
22 décembre
1908
Méridien de Greenwich
60°
90°
30°
120°
0°
Pôle Sud
ANTARCTIQUE
30°
180°
60°
150°
90°
120°
décembre
1908
Port
Lockroy
Itinéraire du Pourquoi-Pas?
Itinéraire de Charcot, Nozal
et Senouque à bord de
la vedette
TERR

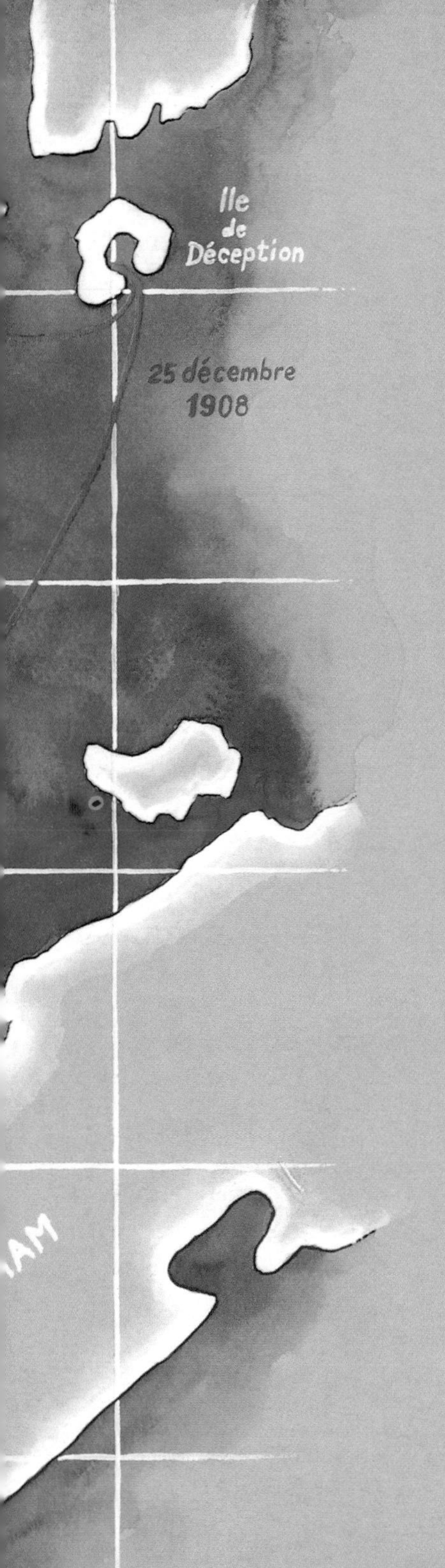

LE POURQUOI – PAS ?
Trois-mâts barque du Cdt Charcot

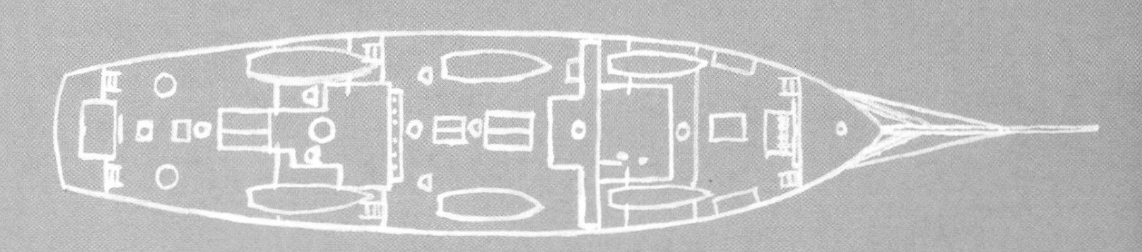

# ANTARCTIQUE

## EXPÉDITION
## 1908-1910

«Parlez quelquefois du *Pourquoi-Pas ?* à vos enfants…»
*Jean-Baptiste Charcot* – lettre à un ami.

Remerciements:

À Mme Lucie Lucas,
pour la copie du dossier «*Pourquoi-Pas ?*» réalisé par son mari, Maurice Lucas.
À mon sous-chef de traction Éric Lucas,
pour m'avoir informé de l'existence dudit dossier.
Au personnel du service de documentation du musée de la Marine de Paris,
pour sa disponibilité et sa gentillesse lors de mon passage.

Ce récit est inspiré du journal d'expédition du Cdt Charcot


*Loi n° 49.956 du 16 juillet 1949 sur les publications destinées à la jeunesse : mars 2002*
*Dépôt légal : décembre 2004*
*Imprimé en France par CCIF à Saint-Germain-du-Puy*

Fabian Grégoire

# CHARCOT ET SON *POURQUOI-PAS ?*

## À la découverte de l'Antarctique

Illustrations de l'auteur

ARCHIMÈDE
*l'école des loisirs*
11, rue de Sèvres, Paris 6e

Cette histoire devrait commencer au bord de la mer.
Mais en réalité, nous nous trouvons près de Paris, dans le jardin d'une grande maison.

Dans ce jardin, il y a un bassin. Et au bord de ce bassin, il y a Jean-Baptiste.

Jean-Baptiste adore les bateaux.
Plus tard, il veut devenir navigateur.
Or, en ce matin d'été, on peut voir
à son visage que le petit garçon
a une idée derrière la tête...

– Cette vieille caisse
sera parfaite ! dit-il
en traînant vers le bassin
tout un bric-à-brac
de bois et de tissu.

Mais qu'est-ce qu'il fabrique ?

Oui ! Vous devinez !
Il a tout simplement décidé
de construire un bateau !

– Il ne me reste plus
qu'à lui donner un nom!
En effet, tout navire
doit être baptisé
avant d'affronter les flots:
c'est la tradition.

Un pot de peinture rouge, un pinceau, et voilà notre jeune marin en train d'écrire proprement sur la caisse le nom de son voilier: *Pourquoi-Pas ?*

Ensuite, tout se passe très vite. Jean-Baptiste qui met son voilier à l'eau. Le bord du bassin qui s'éloigne. L'eau qui monte rapidement dans la caisse.

– Au secours ! Au secours ! Je ne sais pas nager !

Jean-Baptiste est terrorisé…

Pan!… Pan!…
L'aventure du jeune marin se termine presque aussitôt…
par une bonne fessée.

Quant à son bateau, vous vous dites peut-être qu'il n'aura pas eu un destin bien glorieux… Eh bien, vous vous trompez! En effet, vous venez d'assister à la naissance de l'un des plus célèbres navires français.
Bon, là, il n'est pas très beau, c'est vrai. Et il n'est pas bien grand non plus.
Mais on n'est jamais bien grand le jour de sa naissance!
Ce n'est que trente-six ans plus tard que le *Pourquoi-Pas ?* atteindra sa taille adulte. Et c'est ainsi qu'un beau jour de l'année 1908…

Ah, ah… Sa transformation vous épate, pas vrai ?
Le *Pourquoi-Pas ?* ne ressemble
plus du tout à une vieille caisse.
Quarante mètres de long,
trois mâts, quatorze voiles
prêtes à se gonfler
au moindre souffle d'air.
Et même un moteur à vapeur,
pour continuer à avancer
lorsque le vent tombe.
Et sa coque :
trois fois plus solide
que celle d'un bateau
ordinaire!
Non pas pour le simple
plaisir du commandant
de bord, mais
pour lui permettre
d'aller affronter
les glaces
de l'Antarctique
(le pôle Sud,
si vous préférez) !

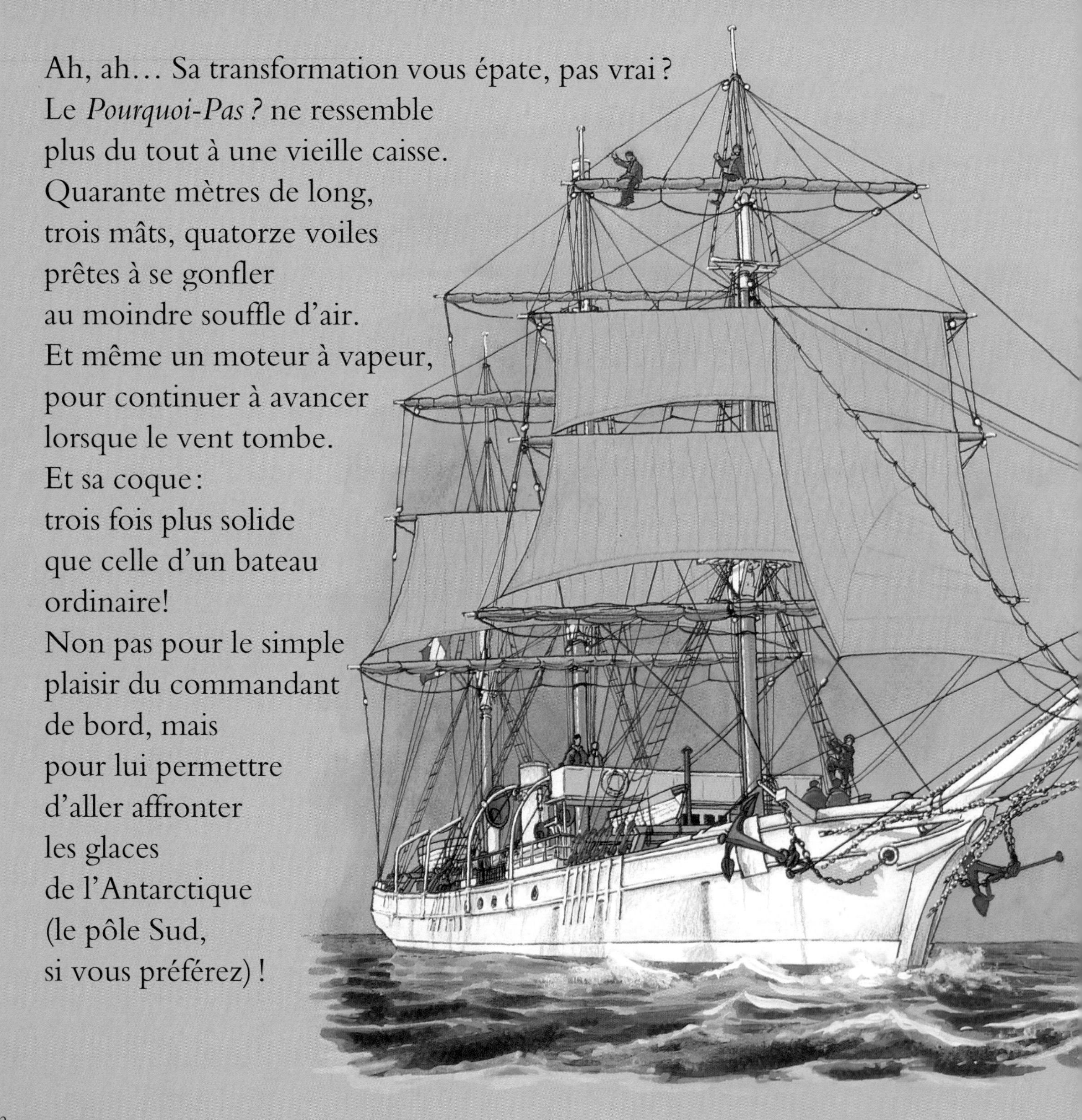

Le commandant de bord ?
Tiens, oui, parlons-en !
Surtout que…
je crois que vous le connaissez déjà…

Il s'appelle Jean-Baptiste.
Ça ne vous dit rien ?
Si, si, c'est bien lui.
Bon, évidemment, il a grandi lui aussi. Il a maintenant quarante et un ans.
À bord, personne ne l'appelle Jean-Baptiste. Pour tout le monde,
il est le commandant Charcot. (Charcot, c'est son nom de famille,
vous l'aviez compris…)

Sous ses ordres, une trentaine
de personnes : des savants,
chargés de toutes sortes
de travaux d'étude,
et des hommes d'équipage,
chargés de s'occuper du navire.
Parmi ceux-ci, perché
sur le mât de misaine,
voici Nozal :
élève de la marine marchande,
il s'est porté volontaire
pour participer
à cette expédition.
Quelle expédition ?
Ah, c'est vrai,
je ne vous l'ai
pas encore dit.

Vous vous souvenez que je vous ai parlé de l'Antarctique.
Eh bien, le *Pourquoi-Pas ?* et son équipage vont explorer les eaux inconnues de cette région. D'ailleurs, nous arrivons à destination. C'est pour ça que Nozal est perché là-haut : pour voir approcher la première escale en Antarctique : l'île… de Déception !
– Voilà un nom qui n'est guère joyeux, se dit-il.

Déception est une île étrange. Elle a la forme d'un C. Au centre de ce C se trouve donc une immense baie où les bateaux peuvent s'abriter de la tempête.

Précédant le *Pourquoi-Pas ?*, un petit navire battant pavillon norvégien progresse lentement, à force de vapeur, vers l'intérieur de la baie. Il tire derrière lui une grosse masse grise qui, bizarrement, colore l'eau en rouge…

– Qu’est-ce que c’est que ça ? se demande tout haut Nozal qui vient de redescendre sur le pont.
– Ça ? C’est… ou plutôt *c’était* une baleine… répond tristement le commandant Charcot juste derrière lui.
– Des chasseurs de baleines, ici ? s’étonne Nozal.
– Eh oui, mon petit ! C’est le dernier endroit de la planète où elles sont si nombreuses. Partout ailleurs, on les a tellement chassées qu’il n’en reste pratiquement plus. Alors, tous les chasseurs viennent ici…

De fait, au détour d'une falaise, apparaît un petit village de planches et de tôles. Plusieurs bateaux sont amarrés là, au milieu d'une mer rougie par les carcasses des baleines.

– Mais c'est horrible, commandant ! s'exclame Nozal.

– Tu sais, mon petit, tous ces gens vivent de la chasse. Ils doivent bien gagner de l'argent pour nourrir leurs familles. Mais tu as raison : quel triste spectacle…

– Finalement, elle porte bien son nom, cette île. Vraiment, je n'imaginais pas l'Antarctique comme ça !
– Ce n'est pas beau à voir, mais l'Antarctique, c'est heureusement bien autre chose… Nous ne sommes pas ici pour les baleiniers, nous sommes ici pour faire le plein de charbon. Alors… ce n'est pas le moment de s'attrister !

J'ai oublié de vous dire que le *Pourquoi-Pas ?* va passer plus d'un an dans ces eaux glacées. Et au milieu des icebergs et de la banquise, il est impossible d'utiliser les voiles : il faut pouvoir changer rapidement de direction pour éviter les glaces et les rochers. Donc, tous les déplacements se feront au moteur.

Et un moteur à vapeur, ça fonctionne avec… du charbon. Eh oui !
Voilà donc Nozal et ses compagnons en train de remplir les soutes du *Pourquoi-Pas ?* en y entassant des tonnes de ce combustible. Heureusement, quelques marins norvégiens viennent donner un coup de main à l'équipage français.

– Pour finir, ils sont gentils, se dit Nozal. Mais je déteste ce qu'ils font aux baleines !

Le pont nettoyé
à grande eau
de sa poussière de charbon,
le *Pourquoi-Pas ?* lève l'ancre.
Ici commence l'aventure,
la vraie !
L'exploration de territoires
inconnus, la chasse
aux terres nouvelles…
Pourtant, Nozal
reste amer :
cette île sinistre,
ces pauvres baleines…
non, vraiment,
l'Antarctique
ne le fait plus rêver :
– Qu'est-ce qui m'a pris
de venir ici ?
J'aurais mieux fait
de rester à Saint-Malo
avec maman et papa…

Une grosse goutte s'écrase dans son cou.
– Il ne manquait plus que ça, murmure-t-il.
La pluie se répand bientôt sur l'océan, et l'on ne sait plus si l'eau qui coule sur les joues du jeune marin vient du ciel ou de ses yeux.

– Nozal, debout ! Le commandant te demande !
La porte du poste se referme en claquant.
– Zut alors ! Pour une fois que je dormais.
Quelques jours ont passé depuis le départ de Déception, mais Nozal est toujours aussi triste. Et le mauvais temps qui dure n'arrange rien.

Pourtant, à son arrivée
sur le pont, c'est un rayon
de soleil qui l'accueille.
Assis à bord de la vedette qui se
balance déjà au-dessus des flots,
le commandant Charcot
lui fait un signe :
– Allez petit, on n'attend
plus que toi !
Nozal grimpe à bord
de l'embarcation qui rejoint
aussitôt la surface de l'eau.

– Bien dormi ?
La question est posée par Senouque, l'un des «scientifiques» de l'expédition.
C'est lui qui tient la barre.
– Oui, oui. Merci ! répond Nozal.
Propulsée par son petit moteur à essence, la vedette s'éloigne rapidement du majestueux *Pourquoi-Pas ?*
– Où va-t-on ? interroge Nozal.

– Senouque voudrait prendre quelques photographies de glaciers, sur la côte de la Terre de Graham, et j'ai pensé que ça te changerait les idées de venir, répond Charcot. Mais avant, allons saluer les pingouins et récupérer les rames laissées sur un îlot par le zoologue de l'expédition lors d'une visite précédente.
– Chic alors ! se dit Nozal. Ça va être amusant…
Sous un soleil d'été (eh oui, ici, en décembre, c'est l'été !), la vedette glisse lentement jusqu'à la terre voisine.

Drôles de bestioles, n'est-ce pas ? En fait, ce ne sont pas des pingouins : ce sont des manchots ! Les pingouins, ça vit au pôle Nord et ça vole. Tandis que les manchots habitent ici, au pôle Sud, et ne volent pas… Le problème, c'est qu'à l'époque où se passe notre histoire, on utilisait le même mot pour désigner les deux oiseaux ! Donc, même si Charcot, Nozal ou Senouque disent « pingouin », vous savez qu'aujourd'hui, il faut dire « manchot » !

– Jean-Baptiste Charcot, enchanté de vous rencontrer !
Le commandant salue respectueusement l'un de ces animaux.
– Pourriez-vous me dire quel temps il va faire aujourd'hui ?
Le manchot le regarde de son œil rond.
Quelques instants s'écoulent, et Charcot fait un clin d'œil à Nozal :
– Il est malin ! Il fait semblant de ne pas me comprendre.

Après avoir récupéré les rames, et dit au revoir aux manchots, cap est mis sur la côte de la Terre de Graham.
Il fait beau, la mer est calme, les paysages sont grandioses.
Nozal découvre enfin la magie de l'Antarctique dont il a tant rêvé depuis des mois.

Comme vous commencez à connaître les membres de l'expédition du *Pourquoi-Pas ?*, vous devinez certainement qu'ils ne sont pas du genre à fuir les difficultés ni à contourner les obstacles.

Donc, vous ne serez pas surpris d'apprendre que, lorsqu'une grotte de glace se présente soudain à tribord, les occupants de la vedette décident immédiatement de la visiter.

Moteur coupé, c'est dans un silence de cathédrale que les trois hommes pénètrent au cœur de l'iceberg.
– Ce n'est pas dangereux de passer par ici ? demande Nozal dans un murmure.
– Il y a toujours un risque, répond Senouque sur le même ton. Mais c'est tellement beau…
Il a raison Senouque, c'est tellement beau !
La glace bleutée, les stalactites effilées, et tous les sons qui se mélangent et se fondent pour donner cette musique étrange, comme une voix mystérieuse qui chante les secrets de l'océan polaire.
La grotte serpente, semble s'enfoncer vers un autre monde. L'eau cristalline donne l'impression aux trois marins que la vedette plane dans les airs.
Ils en perdent la notion du temps…

Sont-ils restés une heure,
deux heures dans le ventre
du géant de glace ?
Franchement, je n'en sais rien !
Mais le fait est que, lorsqu'ils
atteignent la sortie, le temps
a fortement changé : le ciel
s'est assombri, le vent souffle
par rafales et la neige tombe
à gros flocons.
– Le climat antarctique
m'étonnera toujours,
commente Charcot
d'une voix calme.

Les rames sont rangées et Senouque remet en marche le moteur.
Quelques dizaines de mètres sont franchis, puis soudain :
« Pfffuit ! Pouf !… Paf !… » La machine s'arrête.
– Pas de temps à perdre ! s'écrie Charcot. On mâte et on hisse la voile, sinon la mer va nous jeter contre les icebergs !
Aussitôt dit, aussitôt fait. C'est à cette rapidité d'exécution qu'on reconnaît les bons marins.

Voilà donc nos trois navigateurs, à bord de leur petite embarcation, pris dans la tempête en plein océan Antarctique !
Difficile pour nous, tranquillement installés chez nous en ce moment, d'imaginer ce qu'ils peuvent ressentir, perdus dans ces éléments déchaînés…

Car pour Nozal, c'est une évidence : ils sont perdus !
La neige forme comme un voile monstrueux qui bouge et se transforme au rythme du vent et emprisonne tout le paysage. Un iceberg qui semblait être à plusieurs kilomètres disparaît quelques instants dans une bourrasque avant de reparaître à quelques mètres seulement de la vedette !
Comment va-t-on pouvoir retrouver le *Pourquoi-Pas ?* dans ces conditions ?

Et voilà que Nozal se met à douter du commandant…
– Est-ce qu'il sait vraiment ce qu'il fait ? se demande-t-il. Après tout, jusqu'ici, nous n'avons affronté aucune tempête. Qui me dit qu'il n'est pas en train d'avancer sans savoir où il va, juste pour ne pas perdre la face…
Peu à peu, cette idée devient une certitude : le commandant Charcot est en train de les conduire à leur perte !

Une nouvelle vague
soulève l'embarcation
et Nozal s'attend
à chaque seconde
à être avalé par les flots
furieux…
– Il faut que je me sorte
de ce piège ! se dit-il.
Je ne veux pas mourir
en mer si loin
de chez moi…
S'ils veulent se noyer
tous les deux,
qu'ils le fassent
sans moi !

Encore une vague…
encore la sensation
de tomber dans
un gouffre noir…

Tout à coup, le désespoir
envahit le jeune marin.
Tout, plutôt qu'une mort lente
dans le froid vif de la tempête,
qui déjà lui glace le corps.
Et s'il sautait à l'eau ?
Avec cette eau glacée,
ces rochers,
la fin serait rapide.
– Décidément,
l'Antarctique
est une terre cruelle
et rude,
si loin
de mes rêves,
songe-t-il
avec tristesse.

Soudain, une voix perce le bruit du vent. Une voix forte, et toujours aussi calme qui dit :
– Il est beau notre *Pourquoi-Pas ?*, vous ne trouvez pas ?

Et comme dans un rêve,
surgissant derrière le voile des flocons,
apparaît le solide trois-mâts
et tous ses matelots.
À bord, c'est l'explosion de joie.
Le sifflet à vapeur retentit
dans l'immensité glacée
et les bras s'agitent sur le pont.
Nozal n'en croit pas ses yeux.
– J'aurais eu l'air bien bête
de me jeter à la mer ! se dit-il,
regrettant d'avoir douté de son chef.

Le *Pourquoi-Pas ?* vient de récupérer
la totalité de son équipage…
et son commandant !

Nozal est bien content d'être de retour à bord. Pour finir, cette petite aventure lui a fait du bien : il a oublié Déception et ses baleines, et il se sent prêt à suivre le commandant Charcot jusqu'au bout dans ce labyrinthe de banquise, d'icebergs et de récifs…

Et si vous lui demandez maintenant pourquoi il est venu en Antarctique, il vous répondra : « Pourquoi pas ? »

Plus vaste que l'Europe avec ses 13 millions de km$^2$, le continent antarctique est presque entièrement recouvert de glace et s'étend grossièrement du pôle Sud jusqu'au cercle polaire. Si, l'été, la tempétrature peut dépasser 0°C sur les côtes, à l'intérieur du continent et en hiver, elle varie entre −40 et −70°C, avec un record de −89,6°C ! Les vents peuvent atteindre 200 km/h !

Dans ces conditions, la vie est très difficile et les animaux – manchots, phoques, pétrels, labbes, etc. – vivent sur les côtes (l'Antarctique est plus désert que le Sahara !), tirant leur nourriture de la mer. Seul le manchot empereur s'aventure à une centaine de kilomètres des côtes pour pondre et couver... en plein hiver ! La faune aquatique est également très riche et de nombreux cétacés vivent dans ces eaux. Malgré le moratoire international sur la chasse à la baleine, le Japon et la Norvège continuent de chasser ces espèces, dont certaines sont menacées de disparition.

Quant aux humains, ils se contentent de séjourner dans des bases scientifiques : pas d'eskimos au pôle Sud ! En effet, pour en finir avec les revendications de diverses nations sur le continent, le traité de l'Antarctique, signé en 1959, dédiait exclusivement le continent à la recherche. Les efforts de la France et de l'Australie ont permis en 1989 de renouveler ce traité, protégeant le continent de la convoitise des compagnies minières.

Actuellement, les recherches se concentrent sur le trou d'ozone découvert à la fin des années 70 au-dessus de l'Antarctique. L'ozone stratosphérique protège la vie terrestre des rayons ultraviolets mortels du soleil. La pollution atmosphérique jouerait un rôle important dans l'agrandissement de ce trou, et les recherches ont pour but de comprendre les phénomènes en jeu afin de protéger la couche d'ozone.

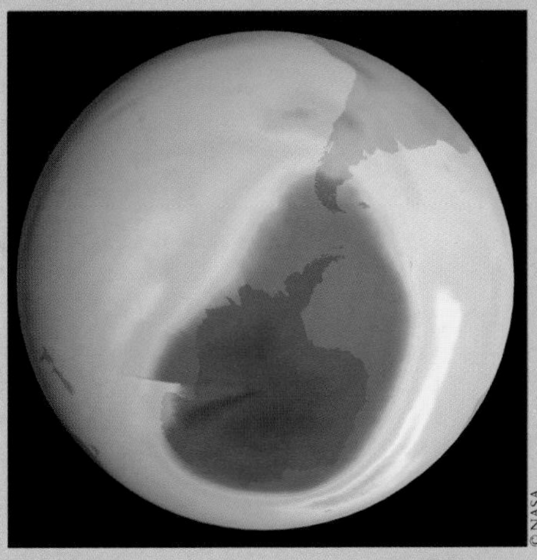



*Photo satellite de la NASA montrant le trou d'ozone sur l'Antarctique en 2000. Le rouge indique une forte présence d'ozone, le bleu indique une faible présence.*

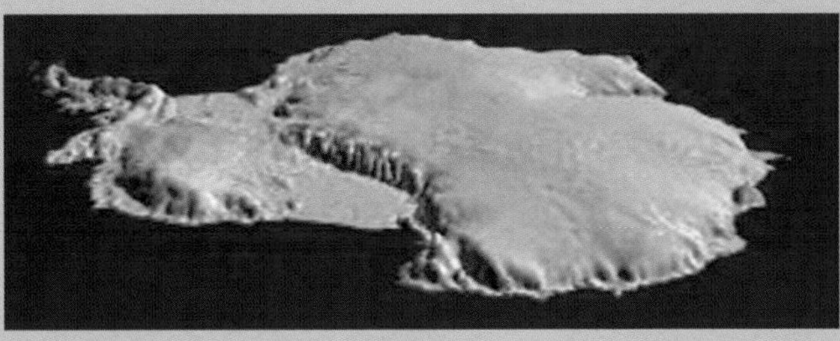



*On peut observer sur le site Internet de la NASA (cité ci-après) un film animé des variations du volume de glace en Antarctique au cours des dernières vingt mille années.*
http://www.gsfc.nasa.gov/gsfc/earth/environ/ice/ice.htm

En bref :
Seul continent où les papillons ne vivent pas, l'Antarctique abrite seulement deux espèces de plantes à fleurs ! Son point culminant est le mont Vinson (5 140 m) et son altitude moyenne est de 2 050 m, ce qui en fait le plus élevé des sept continents.

Histoire :
1773-1775 : L'Anglais *James Cook* est le premier à traverser le cercle polaire austral mais il n'aperçoit pas le continent, dont il soupçonne l'existence.
1820 : Les Anglais *William Smith* et *Edward Bransfield* découvrent une pointe du continent, tandis que l'Estonien *Thaddeus von Bellingshausen* fait le tour de la banquise, sans trouver le continent.
1840 : Le Français *Dumont d'Urville* est le premier à débarquer sur le continent.
1897-1898 : Premier hivernage en Antarctique par le Belge *Adrien de Gerlache* et le Norvégien *Roald Amundsen.*
1908-1909 : L'Anglais *Ernest Shackleton* découvre la route du pôle Sud.
1911 : Course entre *Roald Amundsen* et l'Anglais *Robert Scott* pour atteindre le pôle Sud. Arrivé second, Scott périt avec ses équipiers sur la route du retour. La mémoire des deux hommes reste associée dans le nom de la base américaine Amundsen-Scott, située au pôle Sud.
1928 : Premier survol de l'Antarctique par *George Wilkins.*
1957 : Année géophysique internationale : plusieurs pays décident de lancer une vaste coopération scientifique pour percer le mystère du continent.
1959 : Traité de l'Antarctique qui dédie le continent à la recherche scientifique.
1991 : Le Protocole de l'environnement protège le continent.

## LE COMMANDANT CHARCOT, MÉDECIN MILITAIRE, SAVANT, EXPLORATEUR ET SON *POURQUOI-PAS?*

Photo: © Musée national de la Marine

*Portrait de Jean-Baptiste Charcot, enfant*

Fils du célèbre neurologue de l'hôpital de la Salpêtrière Jean Martin Charcot, Jean-Baptiste Charcot est né à Neuilly-sur-Seine le 15 juillet 1867 (il a un frère et une sœur, ainsi qu'une demi-sœur qui épousera Pierre Waldeck-Rousseau, futur président du Conseil, l'équivalent du Premier ministre actuel). Élève moyen à l'École alsacienne (seul prix : bonne camaraderie), il a manifesté très tôt son intérêt pour la mer et les bateaux. (L'anecdote du début de ce livre est authentique… et à l'âge de onze ans, il crée un petit journal illustré où il décrit les aventures d'un trois-mâts en Patagonie.) Pour faire plaisir à son père, il étudie la médecine. En 1893, son père meurt et lui laisse une fortune de 400 000 francs-or. Trois ans plus tard, Jean-Baptiste Charcot épouse la petite-fille de Victor Hugo (divorcé en 1905, il épousera en 1907 Marguerite Cléry, peintre qui l'accompagnera parfois dans ses voyages. Jean-Baptiste Charcot aura trois filles).

Après avoir acheté successivement plusieurs navires de plus en plus grands, il fait construire en 1903, à Saint-Malo, un trois-mâts baptisé le *Français*. À son bord, il effectue sa première expédition en Antarctique, de 1903 à 1905 (financée notamment par le quotidien *Le Matin*, dont le directeur, Alfred Edwards, était alors son beau-frère). Jean-Baptiste Charcot et son équipe dresseront la carte des côtes d'une partie de l'Antarctique et publieront des rapports scientifiques importants. Très abîmé par son séjour dans les glaces, le *Français* sera vendu à l'Argentine et ne reverra jamais l'Europe.

Photo: © Musée national de la Marine

*Jean-Baptiste Charcot avec Rita, la mouette apprivoisée, à bord du* Pourquoi-Pas ? *Expédition été 1936.*

Document: © Musée national de la Marine

Charcot fait alors construire, toujours à Saint-Malo, un nouveau trois-mâts qu'il baptise *Pourquoi-Pas ?*

Grâce à des aides du Parlement, du ministère de la Marine, du Muséum national d'histoire naturelle, de la Société de géographie, du prince de Monaco et de divers mécènes, il organise sa deuxième expédition de 1908 à 1910. Il continue ensuite ses explorations au large de l'Écosse et de l'Islande, de 1912 à 1914.

Après la Première Guerre mondiale, J.-B. Charcot reprend ses croisières scientifiques dès 1920. Le *Pourquoi-Pas ?* va sillonner l'Atlantique et l'océan Arctique pendant seize ans, étudiant tous les phénomènes océanographiques. Sa renommée est grande, ses aventures suscitent de nombreuses vocations, ses expéditions permettent à la France de jouer un rôle important dans l'exploration polaire.

Finalement, pris dans une tempête au large de l'Islande en 1936, le *Pourquoi-Pas ?* percute des récifs et coule en quelques minutes. Sur les quarante et une personnes qui se trouvaient à bord, il n'y a qu'un seul survivant.

Le commandant Charcot et son fameux *Pourquoi-Pas ?* ont terminé leur dernier voyage. Ils venaient de déposer au Groenland un jeune scientifique qui deviendrait quelques années plus tard un autre grand nom de l'exploration polaire : *Paul-Émile Victor…*

*Bibliographie :* Charcot, Jean-Baptiste, *Le Français au pôle Sud*, Éditions de l'Aube, 1998 (collection « Documents ») ; *Le Pourquoi-Pas ? dans l'Antarctique, 1908-1910*, Arthaud, 1996, Paris (collection « Sans limites »).
Heimermann, Benoît et Gérard Janichon, *Charcot, le gentleman des pôles*, Ouest-France, 1991, Rennes.

Sites Internet : http://gabierschimeriques.free.fr
http://www.u-bordeaux2.fr/meb/charcot/index_3.htm